nugae 42

Claudio Magris

Il Conde

il melangolo

La presente edizione è pubblicata
su licenza di Garzanti Editore s.p.a.

ISBN 88-7018-209-6

A Marisa

Lo sapevo che prima o dopo qualcuno sarebbe venuto anche da me. Non che ci tenga, ma c'è una giustizia a questo mondo e alla lunga i conti tornano più o meno pari, come quando alla fine della stagione di pesca si tirano le somme e i soldi da spendere all'osteria sono suppergiù gli stessi in ogni tasca, almeno per gente d'ogni giorno. Già, io non ho un soprannome e neanche un ritratto lì al paese, al bar del Circolo, appiccicato di mosche. Ma sentite come viene giù tutta questa pioggia, è da ieri mattina che non la smette, viene dal mare, cosa volete che a uno importi, con quest'acqua da tutte le parti, sopra e sotto, dentro la finestra e presto dentro la camicia, che non si capisce quasi più dov'è il cielo e dove il fiume e dove il mare, cosa volete che gli importi, non so se mi spiego, se la gente o i giornali chiamano Conde, già, il Conte del fiume, lui o un altro?

Tanto, appena una cosa è passata non si sa più a chi appartiene e a chi è toccata. Se penso alle prime volte che uscivo a pescare con i miei fratelli e gli altri e come gridavo, gridavamo, gridava quando la lenza dava uno strappo e il filo tagliava l'acqua come una spada e io ero felice e battevo le mani e Nina, che aveva tre anni più di me, mi faceva una carezza ed ero ancora più felice, non so più se quella mano si posava sulla guancia di Manuel o di Luís o sulla mia e chi era a essere felice, forse tutti o nessuno. Così anche lui, quando la gente e i giornalisti e magari qualche autorità se ne sono andati, dopo avergli fatto tanti complimenti e fotografie, e lui resta solo, cosa lo può confortare, solo come un cane, col suo

Dio maledetto e inutile come lui, se ne ha uno, e la carcassa che si disfa, legno nell'acqua, che qualcuno, mezz'ora prima, o dieci anni prima, gli abbia detto bravo, Conde, siamo fieri di voi, tanto le parole si perdono nella notte e nell'acqua non si sente niente.

No, nessuna invidia, signore, neanche per quella squinzia che è venuta a fargli le domande col nastro, credo era una tedesca, gambe lunghe tacchi alti e tutto il resto come si deve e anche più, a me delle donne mi ha sempre interessato una cosa sola, è presto detto, e ormai anch'io, come lui, sono un pesce sdentato, che se proprio mi capita sotto, oddio, si capisce, ma se no neanche mi viene in mente. E figuriamoci se una così con uno come noi, come me, beh tanto meglio, una grana in meno, non ci resto certo male, anzi, non mi manca per niente. E se qualcosa mi manca, è altro, tutto, è quella certezza buona e grande che solo una donna ti sa dare, quella allegria e pietà e sorriso per tutta la baraonda, e che quando gli metti la testa sul grembo o prima di dormire senti la sua gamba sulla tua, tranquilla e incontestabile, non hai più paura dell'andirivieni e allora le manfrine che il destino deve mettere in moto per fregarti, compresa la sbatocchiata finale, ti sembrano un trucco da povero diavolo e pure una faticaccia da cani, così il Padreterno ti fa un po' pena e preghi la Vergine anche per lui, che gli dia pace. Ma quella lì non viene né per lasciarsi spogliare, e va bene, è un peccato ma la capisco, non si può pretendere, né per mettere una guancia vicino alla tua e aiutarti ad avere meno paura. Nessuno di quelli che vengono a farti domande lo fanno per il tuo bene, e neanche per il loro, vengono solo perché la gente non sa stare in pace e ha sempre bisogno di inventarne una, di distrarsi con i dolori e la morte degli altri.

Certo, anch'io potrei essere il Conde, il famoso conte del fiume. Conosco a memoria la sua storia, e chi non la sa? Non dico qui, sul fiume sui fiumi e dove finiscono in mare, e dappertutto là intorno, e più indietro, tra la foce del Douro o dell'Ave fino ai paesi di Trás-os-montes, ma anche nel mondo, nelle botteghe di barbiere con quei giornali illustrati e tante fotografie di donne bellissime che però a guardarle pensi che per loro fare all'amore deve essere come andare dall'ostetrico. La so a memoria, quella storia di cui hanno parlato pure i giornali, perché è anche la mia e certe volte non so più quale sia la differenza, a parte che lui ha cominciato portando resina e trementina a Vila do Conde bordeggiando sempre lungo la costa, mentre io fino dall'inizio andavo nel mare di fuori e quegli arpioni, con i quali lui poi ha tirato su tanti annegati, io li usavo per i merluzzi, gli uncini erano gli stessi. Ho cominciato a tredici anni, sono stato da tante parti, fino in Norvegia.

Sì, conosciamo tutti la sua storia, le centinaia che, in più di quarant'anni, ha ripescato un po' da tutte le parti, nel Douro e negli altri fiumi, nel rio Sousa e anche più su nel Tâmega o giù sulla foce o nel mare, guardandosi intorno come un falco o tastando il fondo con la stanga uncinata, perché qualche volta si impigliano a chissà cosa e restano sotto e lui paziente per ore e ore finché non li scopre e afferra nel modo giusto, attento a non spingerli che non scivolino via per sempre, attaccandosi e adagiandosi sul fondo scuro, in qualche buco, buoni come in una culla, e l'acqua tranquilla sopra di loro, una coperta. A lui è sempre piaciuto quando galleggiavano gonfi da scoppiare o magari mangiati dai granchi, pronti per essere acciuffati e messi su. Sentite la pioggia? Quando è così forte e continua uno non se ne accorge più, e nemmeno del fiume e del mare che si rompono uno contro l'altro e anche se viene l'inondazione ci si pone mente troppo tardi e allora è una notte buona per il suo, per il nostro lavoro, c'è tanta gente da andare a ripescare per seppellirla in terra benedetta, perché l'acqua è amara di perdizione e distrugge tutto, anche il ricordo.

E c'erano e ci sono poi quelli che si ammazzano, Dio sa perché scelgono l'acqua, io piuttosto mi lascerei condannare alla vita eterna come l'ebreo maledetto da Gesù, c'è pure la pistola, no, ma forse anch'io ho scelto l'acqua, solo che invece di farlo in poche ore, come quello studente che si è riempito di sassi le tasche e fino i pantaloni, lo faccio a poco a poco, con tutta quest'acqua dolce, salata e piovana che mi entra nelle ossa e un giorno mi verrà fuori e mi annegherà e soffocherà dal di dentro. E poi gli ubriachi, e la gente in vacanza che crede sempre di saper nuotare, il lavoro non manca e chi sceglie come sua specialità la morte non corre il rischio di restare disoccupato. Anche tutte le medaglie che ha ricevuto, dal municipio e dalla capitaneria e dalla pia fondazione Dona Maria De Luz, per averne tirati su tanti, e quei ritratti di ministri e prefetti che gli danno la mano o un premio hanno un'aria di funerale perché è tutta gente che, se non esistesse la morte, non sarebbe nessuno.

Così, lui è il Conde e io... Comunque. Ah, l'avete vista, poi ve lo racconto ben bene come è arrivata qui, ma lasciatemi tirare il fiato, non posso saltare così di palo in frasca, ordine ci vuole. Io e il Conde, il pesce e la fiocina, Abele e Caino, anche se con la pioggia e l'acqua che sale siamo tutti e due, ormai, povere bestie spaventate nell'arca di Noè, che poi mi sa che la nostra, a differenza dell'altra, andrà presto a fondo e buonanotte. Io, al Conde, neanche l'avrei conosciuto, diomio, sì così un po', è naturale, da queste parti ci si conosce tutti, ma non gli sarei andato vicino, se la barca di mio padre non fosse finita tra gli scogli delle Scilly, ad allungare la lista di quelle centinaia di naufragi tra quegli isolotti — non fra Tresco e St. Mary's, si capisce, lì è un paradiso di fiori e uccelli, iris e gigli azzurroviola e cormorani e piovanelle e storni che ti vengono a mangiare nel piatto e nella bella stagione l'acqua celeste si rompe bianca sulla sabbia di granito e splende, una manciata di polvere d'oro, e tutto è terso e fermo e ti vien voglia di restare lì per sempre e dormire cent'anni, ma dall'altra parte, sul mare di fuori, uno dei posti più maledetti del mondo che anche il più bravo marinaio fa presto a lasciarci la pelle senza che la gente sulla riva, come malignavano una volta, abbia bisogno di attaccare una lampada alla coda di un asino e di farlo andare su e giù sulla spiaggia per attirare la nave sugli scogli.

Della barca di mio padre non si trovò quasi niente, giusto due assi per fare una croce o un fuoco da scaldarsi; del carico, proprio nulla e mio padre ci aveva puntato tutto, fin la casa e le sedie aveva impegnato, tanto è un viaggio che finalmente diventiamo ricchi, ripeteva, e ci siamo ritrovati senza neanche la lenza per pescare in uno stagno e mia madre che dava i numeri e diceva che era un'indovina e andava in giro ad annunciare a tutti la malasorte e a essere presa a sassate. I miei fratelli chi s'è visto s'è visto, a cercar fortuna nel mondo, ma io non ho avuto cuore di lasciarla sola, che se appena un momento non ce la fai più gli altri subito là a farti a pezzi, e sono rimasto, un lavoretto qua e là, un po' pescavo un po' aggiustavo qualche barca e andavo a scaricare il tonno ai magazzini di Porto e non mi lamentavo, non mi passava per la testa che la vita fosse bella o brutta, era la vita e basta. Fu allora che il Conde, vedendomi senza arte né parte ma svelto e buono a tutto, mi propose di andare con lui, ad aiutarlo in quel suo mestiere misericordioso.

Era anche buono, il Conde, e un mestiere così perché uno se lo sceglierebbe se non per bontà? Il più delle volte lo chiamavano quando era successa una disgrazia, come ad esempio a Rabagão per quella barca strazeppa di patate, che in mezzo al fiume era andata sotto e chi sapeva nuotare, bene, gli altri, sei persone, ci abbiamo messo due giorni e mezzo a trovarle e ripescarle. Su e giù per il fiume, fino al mare, quasi tre giorni, lasciandoci portare dalla corrente che li aveva trascinati chissà dove e da lontano ogni tronco che faceva capolino poteva essere uno di loro, e anche ogni affare incastrato sul fondo, sotto la barca che filava pacifica. Una cosa da lui l'ho imparata, non c'è che dire: se vuoi trovare quello che cerchi devi lasciarti andare, la corrente il vento la gente che spinge o che so io trascinano tutto dalla stessa parte, la scopa raccoglie la spazzatura, e lì alla fine ritrovi quello che volevi e ti ritrovi anche te.

Due giorni e mezzo e tre notti, svegliati da ogni rumore, nell'acqua che ti fa sobbalzare, perché quando c'è un morto in giro tutto è strano, a riscaldarci col po' di fuoco che facevamo per arrostire un pesce o una patata di quelli finiti là sotto, ne avevamo ripescato un sacco intero. Siamo anche arrivati e usciti in mare, casomai la corrente li avesse portati fin là, potevo vedere l'onda incrociata, dove il fiume sbatteva contro l'oceano e veniva buttato indietro, la sera l'orizzonte era immenso e vuoto, il sole si spaccava come un'anguria e poi saliva un blu verdenero che faceva sparire tutto e mi pareva di trovarmi nel fondo del mare come forse quelli là. Lui mi offriva da fumare, la sigaretta gli accendeva gli occhi, due carboni sotto le sopracciglia bianche, e poi li chiudeva e stava immobile come un tronco corroso, o un coccodrillo di quei fiumi che ci sono in Africa. Álvaro che è stato nell'Angola dice che stava per rimetterci una gamba ma che era niente in confronto alla paura dei guerriglieri, perché solo gli uomini riescono a farti veramente terrore.

Mi dava poco, giusto per campare, ma anche lui non prendeva granché e diceva che era un ufficio di pietà, perché senza di lui quei morti non potevano andare né in paradiso né all'inferno e quello che gli davano era come al sagrestano che gira in chiesa con la borsa appesa al bastone. Ogni tanto chiacchierava di questo e di quello, e della famiglia che aveva ritrovato tutta insieme là dove il Tâmega si butta nel Douro e quasi non ce la faceva a tirarli su con quel peso e la sporgenza sul fondo dove si erano intricati, ma alla fine ci era riuscito, con un bello strattone che aveva mezzo sfigurato uno di loro, ma tanto non c'erano altri parenti che potesse fargli impressione. E del professore imbroglione che aveva tagliato la corda dopo aver gettato in acqua vestiti e cappello, e del prete che invece si era ammazzato sul serio e degli altri che tutti conoscono perché lo ha raccontato tante volte ai giornali, da quando è diventato famoso, che lo hanno scritto e riscritto. Solo una volta che gli ho chiesto quando e come e perché avesse cominciato con quel lavoro, chi era stato il primo e se era disgrazia o suicidio, è diventato rosso e cattivo, mi ha detto di badare ai fatti miei e di pensare piuttosto a non lasciare andare in giro mia madre come una pazza portascalogna e ha anche bestemmiato la Madonna del Buon Viaggio.

A parte questo, era anche buono e parlava con rispetto dei morti e pure dei suicidi, che sul primo momento, se poteva, li faceva passare per disgrazie, finché erano sepolti in terra benedetta, poi invece raccontava la verità, che più è tremenda più piace alla gente. Ed era perfino quasi tenero quando ricordava quella bambina che aveva tirata su abbracciata al nonno che si era buttato per salvarla e l'aveva adagiata sul fondo della barca mettendole a posto i capelli e dei fiori sul petto, sotto quella bocca innocente che neanche la paura la morte e l'acqua avevano potuto macchiare. Ma se il discorso cadeva su qualcuno del villaggio, indifferente chi, uomo o donna, giovane o vecchio, aveva sempre da ridire e gli occhi gli diventavano malvagi quando diceva che uno rubava, l'altro fornicava con la cognata e altre cose brutte, come che José, il calzolaio, era una spia della guardia repubblicana o che Antonio, il mugnaio, buttava topi morti nella farina da macinare, così per cattiveria.

Quando la sua stanga toccava qualcosa che non voleva venire su, io dovevo spogliarmi, mettermi un vestito di gomma, legarmi un paio di pesi ai fianchi e tuffarmi, tenendomi a una corda. Là sotto mi davo da fare e, quando riuscivo a disincagliare, davo una tirata alla corda, come segnale, e venivo su. L'altro veniva su anche lui, qualche volta già mezzo rovinato qualche volta ancora bello liscio, dipende dal fondale, la sabbia ti conserva meglio, perché è fresca, mentre il fango ti fa marcire più presto. È buffo lì sotto, non fa niente paura, i morti non sono molto diversi dai vivi che sott'acqua sono strabuzzati anche loro e poi tutto è fermo, come dietro un vetro, un acquario, che una volta ci sono andato e non mi pareva neanche che quelli là fossero pesci, tanto erano diversi da quelli che vedi guizzare dalla barca.

Mi pareva naturale che là sotto ci fossero i morti, perché sott'acqua è il regno dei morti e tutto è lento, immobile. Mi veniva in mente quel novizio di cui mi hanno raccontato a Zennor, in Cornovaglia, che cantava salmi ma una sirena, nella grande baia viola, lo ha tirato giù con le sue canzoni, e nella chiesa di Zennor, alta sulle rocce e sul mare — ci sono stato quando portavamo vino e olio prima del patatràc di mio padre — c'è anche la figura della sirena e io credo che quel novizio laggiù in fondo con lei sia stato felice, ma in fondo in fondo, dove non si sente né la campana della chiesa né il canto della sirena ma c'è silenzio e pace, solo qualche leggero e attutito fluttuare.

A poco a poco siamo diventati inseparabili, lui io e gli annegati; e la barca sul mare-fiume, che non sa niente di noi, neppure che esistiamo. Lui l'ammiraglio, io la ciurma, marinaio e ramponiere e cambusiere e palombaro, nessuno e tanti, mi pareva che avrei potuto annegare una volta, e due, e di me ne sarebbero rimasti ancora abbastanza, molte vite ho perso sul fiume, mio padre ne ha perso una, la sua, ma io una mia non l'ho avuta e non so nemmeno cosa ho perduto o non perduto.

Quando hanno cominciato con gli uomini rana, noi gli andavamo dietro, lui tutto maligno e contento quando loro non acchiappavano nulla e andavano avanti senza accorgersi di niente e senza sapere dove cercare, con le lanterne e le tute e il resto. Allora lui zitto e lento a girellare portato dalla corrente, ad aspettare la bassa marea, a fiutare il vento, ad aspettare tutta la notte, perché bisogna avere pazienza, diceva, la morte non la pigli con la fretta, io ho pazienza, tutto qua. Quando ci spingevamo in mare aperto mi sentivo felice, guardavo le onde blu e le spume bianche e non pensavo più a quelli là, ma lui tornava presto indietro, tanto qui non si trova nulla, diceva.

E così avanti e avanti, mia madre era morta, e non mi sarei neanche accorto che il tempo passava e della vita che facevo e non facevo, se non fosse stato per Maria. Volete sapere di lei? Ma come potrei parlarne, con questa pioggia e questo buio? Ecco, tutte le cose sono uguali, una vale l'altra e anche la felicità e l'infelicità sono lo stesso. Solo Maria era lei, e basta. Aveva i capelli neri neri e la pelle un po', ma solo un po' più bruna delle ragazze di qui, dicevano che un suo bisnonno o che so io, un gallego, fosse arrivato qui portandosi una donna dalle Indie, ma non credo sia vero. Quando rideva, buttava indietro la gola alzando la testa, e i capelli e il viso parevano per un attimo slanciarsi in alto, un gabbiano che spicca il volo e precipita nell'azzurro... sì, forse anch'io ho avuto qualcosa di mio, se penso a come rideva e che ero io a farla ridere. Adesso, questa pioggia che sentite venir giù cade pure su quell'angolo di sabbia, no, di sassi fini fini come sabbia e qualche ciuffo d'erba, là dietro le rocce, e tutto quel rumore delle onde, dove è successo quello che era giusto, quando lei si è distesa sfilandosi un sandalo e il piede giocava con quella sabbia di perle bianche come un pesce nell'acqua e il seno era forte e buono sotto il vestito e io tirandoglielo giù le ho detto che quel vestitino era bello ma che non mi piacevano le eclissi di luna e l'ultima cosa che ho visto, prima di vedere solo lei e gli occhi color miele, era tutto quel mare blu blu profondo e senza fine che si rompeva dall'altra parte della roccia. Poi ci è venuta voglia di nuotare, l'acqua era fredda ma lei la tagliava bianca e bruna, un delfino, che non ha paura di niente, perché quando salta nell'aria e nel sole quel blu e quella luce d'oro sono tutti per lui. Io mi sono anche vergognato, perché prima di venir fuori mi è venuto da pisciare in mare e questo da noi è un peccato, veniale ma peccato e in una giornata così si devono trattare con rispetto tutte le cose.

Continuavo ad andare col Conde, si capisce, ma in quei giorni era diverso, era un lavoro che facevo come qualunque altro, per quei quattro soldi, senza pensarci, e a lui non piaceva vedermi così libero e indifferente, che tiravo su gli annegati come caricare e scaricare cassette di sardine. A Maria piaceva che io lavorassi sulla barca e mi cantava per scherzo la canzone che dice di non sposare un ferreiro que è mui malo de lavare ma piuttosto un marineiro que ven lavado do mare. Il Conde mi diceva che le donne non valgono niente, lui di mogli ne aveva avute altre due, prima dell'ultima, e gli era dispiaciuto quando erano andate all'altro mondo, come si fa a non avere pietà, e i primi giorni a vedere in giro per casa i fazzoletti e le calze gli faceva malinconia. Ma in fondo sono una pietra al collo, anche la terza, e pure sua figlia lo aveva fatto penare, si vergognava di lui e neanche lo salutava, solo quando lo avevano mostrato nei giornali e in televisione si era fatta viva e l'aveva invitato a casa sua per far invidia ai vicini, una volta e poi basta, le donne sono così; è da stupidi starle a badare più che tanto, solo i morti merita prenderli sul serio.

Io lo lasciavo dire, non lo ascoltavo, mi sentivo felice e lavato dal mare. Una notte eravamo fuori, al largo, era una notte di scuro di luna e dopo ho anche pensato che quel mio scherzo sulle eclissi di luna mi aveva portato disgrazia. Il mare era strano, calmo come non è quasi mai, un sudario marcio e oleoso, si sentiva solo qualche tonfo sordo, rimestavamo l'acqua perché secondo lui le correnti dovevano aver portato da quelle parti uno che era caduto ubriaco nel fiume, qualche miglio più su, e a me venivano in mente le vecchie storie della flotta infernale che navigava solo di notte, tirata da settanta mostri marini, e che aveva aiutato gli inglesi a vincere l'imperatore Napoleone. Non mi era mai piaciuto veramente, il Conde, ma lì, soli in quel buio, mi pareva pur sempre un uomo e non so come gli raccontai che Maria era incinta. «Sarà andata alla Lanzada per la Madonna di Settembre, visto che ha un nonno gallego, disse con un risolino, là dove le onde del mare fanno crescere la pancia alle donne, anche a quelle che prima non ce la facevano in nessun modo, e non c'è da stupirsi, con tanta gente che si vede da quelle parti e con la tua Maria che, con la scusa di aiutare suo padre, è sempre in giro e si dà da fare con i vivi come noi con i morti.» Io avevo già la mano sul mezzo marinaio e lo avrei messo giù in un baleno, perché lui era forte ma io di più, e magari gli mettevo anche la testa sott'acqua così diventava uno di loro, ma non so che inerzia e torpore mi prese in quell'afa puzzolente, fiacca vigliaccheria che ti fa pesanti le gambe e il cuore, così non feci e non dissi niente, mentre lui mi guardava cattivo e soddisfatto. C'è anche un undicesimo comandamento, signore, che certe volte ci ordina di colpire un uomo, guai sbagliare momento ma guai disobbedirgli quando è il momento giusto.

Con Maria ci saremmo sposati, si capisce, anche se non se n'era fatta parola, perché a far l'amore sulla spiaggia e dietro gli argini pareva ridicolo, lì per lì, parlare di matrimonio, ma era scontato come la vita, che è nascere sposarsi e morire. Non so cosa aspettavo o aspettavamo, i giorni erano pigri come quella notte, accarezzavo la pancia aspettando di vederla diventare bella grossa ma andavo sempre con lui, c'era tanto lavoro, sempre più, pareva che sempre più gente avesse smania di morire e che il Conde la fiutasse come un cane. Comunque, le cose andavano per il loro verso e il matrimonio, prima o dopo, mi pareva fatale come la nascita del bambino. E invece niente è fatale, tutto è in bilico e basta un giro d'aria per sbaraccare tutto.

Una volta il Conde mi disse che saremmo andati via per due, forse tre giorni, verso Amarante, c'era del lavoro da sbrigare e poi ci saremmo fermati che c'era una bella festa. Risalendo il Tâmega, il Conde non era del solito umore, canticchiava ed era distratto, come se non gl'interessasse poi tanto ripescare chissà chi, era la prima volta che lo vedevo così, tra svagato e febbrile. Ad Amarante, sotto gli alberi vicino alla riva c'era una bella tavola apparecchiata, e piatti di pesce e trippe e pollo e bottiglie di vino verde, e lampioncini di carta tondi e accesi che pendevano dai rami e Alfonso con la sua chitarra e altri che conoscevo e non conoscevo. La notte era calda, sotto gli alberi un po' di vento asciugava la faccia sudata, per un momento, avevo già bevuto parecchio, mi sono ricordato dopo tanti anni della mano di Nina sulla guancia, volevo andar via ma il lampioncino sopra di me ballonzolava gonfio e rosso, una luna di sangue, e ho bevuto ancora e ballato e mi sono seduto sull'erba.

E vedo che preparano qualcosa, si danno da fare, su e giù, e portano mazzi di fiori bianchi e qualcuno mi dice, non il Conde, lui stava zitto e mi guardava, che hanno pensato di fare uno scherzo alla Giba, no, non uno scherzo, un'opera buona, per farla sentire anche lei, una sera, una donna come tutte col suo principe azzurro, tanto lei non capisce niente, buona com'è solo a star lì all'angolo con i fiori e la frutta se uno glieli mette in mano, c'è solo da sperare che chi glieli compra non sia un figlio di puttana che mette un bottone o un tappo rotto nel piattino tanto lei non se ne accorgerebbe. Però è buona e non è che non capisca niente, se uno grida si spaventa e piange, ma se uno è gentile o la carezza, si vede che è contenta, sorride e un po' di saliva le scola giù ma gli occhi sono quasi belli e ha imparato a fare il segno della croce, che basta per vivere e morire. Adesso lo so, il resto non conta, tanto è tutto un delirio e gli uomini, burattini che al teatrino se le danno di santa ragione, schiaffi e bastonate sulla testa e il pubblico ride e non so se Dio sia il pubblico, il burattinaio, il bastone o qualcuno che un giorno cambierà la musica e calerà il sipario su questa mascherata idiota.

Insomma mi dicono, mentre bevo e penso e bevo e mi pare che tutto divenga leggero e voli via, che quella sera io devo fare la parte dello sposo della Giba, così per finta, si capisce, uno venuto giù da Vila Real si metterà la tonaca e farà il prete, non c'è niente di male perché lei sarà solo contenta e penserà di essere una bella sposa come tutte e domani non si ricorderà più bene di nulla ma le resterà come un senso di essere stata felice e così avremo fatto un'opera buona anche se ci saremo pisciati addosso dal ridere. E io ho una gran confusione, non voglio ma non so tirarmi indietro, mi pare una mascalzonata ma forse anche no, il Conde ogni tanto ride ma non parla e quando mi sembra di aver deciso di no, perché proprio io, e penso che glielo devo dire e che adesso glielo dico, mi portano davanti la Giba, con uno scialle e un fazzoletto bianco che le hanno messo sulla testa con dei fiori, e lei mi guarda e a un certo punto mi prende la mano e me la bacia e vedo che sta per piangere. E a vedere quella lacrima ero io che mi son sentito piangere dentro come un bambino e ho sentito che non potevo, in quel momento, dirle di no, dirle che non la volevo, che si levasse di torno. Così mi sono alzato, traballando un poco, e non so bene come mi sono trovato vicino a lei, in una capanna che per conto mio poteva benissimo essere anche una chiesa e Carlos e Duarte come testimoni e uno che non conoscevo vestito da prete, il Conde dietro a me, un angelo custode, no, il controllore al mattatoio che sta attento che tutto il macello fili come si deve, e quello in nero biascica qualcosa, Carlos dà un pizzicotto alla Giba che dice sì e anch'io dico sì e gli altri intorno a suonare la chitarra e a cantare sguaiati; Ai minha doce loucura, chi vince la partita è un grande giocatore io gioco da trent'anni per conquistar l'amore, i palloncini sui rami roteano e tremano, tutto gira le facce sono rosse e ridono e battono le mani anche la Giba sorride timidamente e potrei baciare come un porco quelle labbra di bambina e metterle la mano sotto la gonna, storta e sciancata com'è, ma quando uno dei suonatori fa per offrirle il pane e il sale e invece fa un lazzo io gli mollo uno schiaffo come si deve, come se lei fosse proprio la mia sposa, mentre il Conde sghignazza e mi dice bravo.

Come fosse la mia sposa. Dio maledica le parole, che mettono in moto cose più grandi di loro, e cose brutte. L'ho saputo la mattina dopo, tutti se n'erano andati portandosi dietro anche la Giba, io avevo dormito non so neanche dove, me l'ha detto quello che metteva via i lampioncini e le bottiglie. Sissignore, se al baraccone vi manca una testa per le sei palle e un soldo eccomi qua, l'unica cosa che si può fare con la mia è buttarla giù con una palla. Finché morte non vi divida, signore, quello era un prete vero, uno della periferia di Porto, e tra una parola una bestemmia e un pugno levato in aria vengo a sapere tutto, che era stato il Conde a combinare, magari qualcuno aveva avuto l'idea di fare quel teatro con la Giba e allora lui ha pensato di farlo sul serio, con un prete vero anche se disgraziato, e io burattino idiota, più idiota della Giba che non sapeva di essere ingannata ma almeno non credeva di ingannare, mentre io credevo di burlare, magari di fare del bene ma per burla, ed ero là, vero burlato, sotto quegli alberi e quei due o tre lampioncini flosci rimasti; marito della Giba davanti a Dio e alle canaglie.

Cosa dovevo fare, ammazzare qualcuno, accendere una sigaretta? Non faceva molta differenza, ormai, e mi sono acceso una sigaretta. Lo so bene che quella pagliacciata non valeva nulla, solo davanti a Dio e non al municipio, e che anche in chiesa, andandoglielo a spiegare, scioglievano tutto e davano pure una strigliata a quel prete credo più imbecille che farabutto. Tutta la faccenda era solo un imbroglio, al paese chiunque sapeva che la Giba era una povera di spirito e contava al massimo fino a dieci. Ma pensate che uno possa andare da un monsignore di città e dirgli mia moglie è scema e dunque non vale, non è valido, è una da rimandare indietro, da buttar via, spiegateglielo voi monsignore al Padreterno che ci vuole uniti per sempre, fategli capire che non vale perché lei è una disgraziata, una deficiente, e anch'io del resto, come il caso dimostra, sono un idiota e dunque è doppiamente nullo.

Io, la Giba, Maria, il bambino dentro la pancia... quattro vite, per la fesseria di una sera e la cattiveria di uno solo, che magari ci avrebbe voluto bene se solo fossimo stati morti, annegati da ripescare con cristiana pietà. Si fa presto a dire quattro vite, una vita, ma poi è solo alzarsi, dormire, grattarsi le punture di zanzara, sgobbare, legare la barca, cambiarsi la camicia e dov'è andata, intanto, la vita? Un'ora, una settimana, un mese, la pancia si gonfia, la luna cala, le unghie diventano lunghe e nere e non succede niente. Sono andato da Maria, lei non ha detto nulla, io le ho preso la mano ma l'ho lasciata andare, lei era bella, ancora più bella con quella pancia che si cominciava a vedere e quella nuova luce sul viso ma io, tutto d'un colpo, non avevo più voglia e lei neanche, lo sentivo, ero striminzito e vuoto dappertutto. Devo avere anche bofonchiato che quella pagliacciata con la Giba era nulla e non c'entrava col nostro matrimonio, ma dite voi se era il caso di parlare, in quel momento, di noi due e di sposarci e di tutto il resto. Lei era bellissima, le braccia brune illuminate dalla fiamma della cucina come i rami al tramonto, quando il sole è basso e fa tenere e dolci le cose, ma il suo viso era stanco, vuoto anche lui, e dopo un po' me ne sono andato.

No, niente tragedie. O forse sì, ma silenziose, pesci mangiati da altri pesci in acque tranquille. Maria l'ho cercata qualche altra volta, ma lei non c'era mai e così ho smesso. Del bambino non ho saputo più nulla, in giro non si è visto, lei la incontro ogni tanto e giriamo ognuno dall'altra parte quando siamo ancora lontani, ma succede raramente, perché non vado quasi mai al paese, solo se devo proprio comprare qualcosa, se no sono sempre qui, sul fiume, o sulla riva o in barca, giù fino al mare. Alla Giba mando ogni tanto qualche cassetta di pesce, qualche soldo, anche un bel fazzoletto che poi ho visto in testa a quella che la mette a vendere i fiori e la frutta. Ma tanto lei non se ne accorge, chissà, forse ha avuto davvero la sua sera, quella volta. Davanti a Dio è mia moglie, almeno credo, non m'intendo molto di faccende di chiesa e una volta mi pareva di capire cosa volesse dire «davanti a Dio», ma adesso non lo so più.

Vivo col Conde, in pratica, cioè per lui e i suoi annegati. Andiamo in giro, cerchiamo scandagliamo ripeschiamo riportiamo, quando lui li riconsegna alla gente o alla polizia io resto in barca, per conto mio, ma si ricordano anche di me, mi danno qualche ricompensa discreta e non per niente anche voi siete venuto qui da me, e non solo da lui. Non che m'importi; con tutto il rispetto, vi auguro ogni bene ma non mi interessa quello che pensate di me e ancora meno quello che scriverete, se siete uno di quelli che parlano con la gente non per parlare, ma per scrivere poi qualcosa da qualche parte.

Talvolta, specie di notte, quando sento che stiamo tirando su qualcuno, mi pare di vedere uscire dall'acqua l'una o l'altra, i capelli neri neri di Maria e la sua fronte così alta o quei poveri fili di stoppa della Giba, il viso affiora bianco nel buio come un pesce e mi fissa con occhi spalancati e io ho paura che il Conde, invece di consegnare la salma a Porto, dove la mettono alla Morgue come si deve, voglia portarla a Rabagão, dove l'ospedale e la Morgue sono un lusso e la guardia repubblicana si spiccia a far tutto lì sulla riva e quando un cadavere è gonfio lo stendono per terra, pigliano una specie di lancia sottile o che so io e glielo ficcano nell'occhio, giusto nella pupilla, e il gas esce fuori da quel buchetto con un lungo fischio strascicato, il corpo si sgonfia come un pallone e va insieme e il Conde, quando può, sceglie di scaricare a Rabagão e sta a vedere. Ma dura solo un attimo e spero che il Conde neppure s'accorga di quell'attimo di delirio, poi vedo subito che la faccia è un'altra, del resto né Maria né la Giba sono tipi da cose del genere, tutte e due, in modo diverso, hanno troppo coraggio, non hanno paura della vita.

E così avanti, i giorni e le notti scivolano nella mia vita, l'acqua s'infiltra fra le fessure del legno allargando sempre più i buchi, ogni giorno qualcosa cola via da me e mi fa più leggero, mi pare di essere solo quel po' di maglia fra un buco e l'altro e di tanto in tanto salta via un pezzo, due o tre buchi diventano uno più grande finché ci sarà solo un unico buco ossia neanche quello. Già adesso sono troppo ampi e le cose mi passano oltre, per i pesci la rete è ormai troppo larga, sicché non trattengo più niente, domani o magari già stasera, non per offendervi, ma anche la vostra faccia sarà sparita.

Forse quella là era ancora troppo grossa, quella sera, per la mia rete smagliata e per questo è rimasta dentro. Ho visto che la guardavate curioso, vi interessa più lei della mia storia e avete ragione, ormai è così anche per me. Una sera, mentre dai vapori dell'acqua si alzavano i miei due fantasmi e cercavo di scacciarli col remo come si manda via il fumo, sento che abbiamo agganciato qualcosa di pesante che rotola sul fondo e non vuole venire su. Eravamo fuori, sul mare, ma ancora vicini a riva. Io tiravo inutilmente, i cadaveri stanno a galla, a pelo d'acqua, ma quando c'è una piena o una mareggiata che muove il fondo succede che si impigliano in una pietra, o in una radice, o in una fune rimasta attorcigliata a un'ancora o che so io. Il Conde prende una pertica e si mette a far leva, a premere e a spingere, finché di colpo uno scossone lo fa cadere indietro sul fondo della barca e qualcosa viene su nel gorgogliare e rimestare dell'acqua.

Lui era mezzo sfatto, doveva essere lì da tanti giorni, caduto in mare o andato a fondo chissà dove. Ammazzarsi non voleva di sicuro, mentre risaliva era ancora avviticchiato e mezzo legato alla polena, doveva averla afferrata quando la nave affondava o forse l'aveva incontrata dopo ore e ore che nuotava in mare, certo si era aggrappato a quel collo e a quei seni e ci si era anche legato per non mollarla, e dovevano aver navigato chissà quanto, finché un'altra mareggiata li aveva scaraventati e tirati giù e si erano incastrati in qualche accidente sul fondo, in acqua già bassa, ma quanto basta per annegare.

La polena era schizzata fuori con un piccolo salto, come un delfino, e poi s'era messa a galleggiare sul dorso, tranquilla sotto la luna con i lunghi capelli biondi sparsi sulle spalle, i due poponi dei seni fuori dall'acqua bianchi come la luna sopra di loro, e in mezzo la mano con una rosa smangiucchiata dal mare, e quel sorriso beffardo e anche soddisfatto di donna che ha avuto il suo e il suo uomo è uno che la serve come si deve e lei non gli dice niente, si lascia poi baciare la schiena e i piedi, e quelle labbra che sorridono imbronciate gli devono bastare, sta a lui dire le paroline dolci. Queste donne del mare non sono come quelle di casa, buone e ubbidienti e a cuccia, sono regine che non sai cos'hanno nel cuore e non hanno cuore e per questo ti portano a perdizione. Di solito le polene guardano in alto e lontano, ansiose e atterrite, e ti fanno paura, in mare, perché pensi che vedono la morte che arriva e che tu non puoi vedere, ma questa aveva gli occhi socchiusi e beati, forse perché quelle che stanno a prua sanno che ci sarà un disastro ma non sanno come andrà a finire e questa invece aveva già fatto il salto, aveva già visto quello che tutti hanno terrore di guardare e può darsi avesse le sue buone ragioni per ridere o sorridere, piano dentro di sé, di tutto quello che c'è da vedere.

Che l'abbia afferrata nel naufragio o più tardi, quel marinaio si sarà attaccato a lei perché si sa che quando s'incontra l'olandese volante, che annuncia morte e distruzione, non resta che aggrapparsi alla polena, l'anima della nave, che può trarti in salvo. Alle Scilly, per esempio, me ne hanno mostrata una bella e pienotta, con un vestito a pieghe e la coroncina in testa, che ha salvato un marinaio italiano, la nave era spagnola, credo, e si era rotta sull'ultimo dei Seven Stones, come la barca di mio padre. Quel marinaio se l'era tenuta stretta per ore e ore, finché lo avevano raccolto e l'aveva mollata in mare. Qualche giorno dopo, passeggiando sulla spiaggia, vide che le onde l'avevano portata fin lì, la fece tirare su e sistemare nel giardino di Tresco. Magari mio padre ne avesse avuta una sottomano.

La legammo a poppa e filava dietro

a noi, distesa bianca bianca nelle tenebre, e le stelle che si specchiavano nell'acqua vicino alla sua testa erano una corona di sposa. Il Conde sentenziava che doveva essere molto vecchia, magari era stata su una nave francese tanti e tanti anni prima, fantasticava, quando i francesi si erano gettati su Porto come lupi e la gente che scappava si era pigiata in un gran panico e confusione sul ponte che era crollato, era stato un macello che perfino i francesi avevano dato una mano a salvare quei poveretti, ancora adesso c'è chi va ad accendere i lumini sotto l'immagine di quel disastro. Magari questa polena era su una nave francese e ha visto anche quella marmellata, diceva il Conde, poi chissà come è finita in acqua, forse i nostri ne avranno pure affondata qualcuna, delle navi francesi, e qualcosa l'ha tenuta sotto per un'eternità, guarda come il legno è consumato, se le tocchi, quelle belle tette, sono tutte grinze.

Non lo stavo ad ascoltare, del resto

non m'importa da dove uno viene, anche a voi mica vi ho chiesto niente, stavo seduto a poppa e guardavo quegli occhi socchiusi e quel sorriso che mi canzonava dall'acqua. Forse le parlottavo fra me e me, che c'è di strano, tanti in chiesa parlano alla Vergine di legno bianca e celeste e solo uno stupido può ridacchiare delle donnette che biascicano e non son certo peggio di me, io comunque pensavo che se fossi rimasto sempre in mare sarebbe stato tutto diverso.

Quando stavamo per arrivare e consegnare il morto a chi di dovere, il Conde mi guarda e dice: «Questa la useremo come legna per il fuoco, ma la testa me la porto a casa e la ficco davanti alla porta», e tira fuori l'accetta. Io mi sono solo alzato e gli ho detto no così, semplicemente, ma deve aver capito che bastava ancora una parola e non so cosa sarebbe successo ed è rimasto zitto, anche quando poi, a riva, l'ho tirata su, me la sono presa in braccio, grande e pesante com'era, e l'ho portata qua. E così io, che ho tenuto la testa bassa quando si è trattato di Maria e della Giba e ho perso la mia vita come una partita a carte, ho mostrato chi sono con questa qua, una figura di legno, come quelli che alle processioni di San Nicola, patrono dei battellieri, sono capaci di prendersi a coltellate se uno dice che il San Nicola del suo paese è più bello di quello del paese vicino.

L'ho sistemata là, come vedete, e quando mi faccio la cena e la fiamma le accende il viso, la osservo con calma, cerco di capire dove guardano quegli occhi un po' obliqui e guardo anch'io da quella parte, verso un angolo o l'altro, nel buio, di qua e di là, per vedere se c'è qualcosa, e la fiamma si alza e si abbassa, il viso cambia e sorride di quegli inutili cambiamenti, qualche volta è il viso bellissimo e ritroso di Maria qualche volta la torpida e buona faccia della Giba qualche volta la dolcezza lontana di Nina qualche volta solo le onde, arcuate e ricurve come quelle labbra quei capelli quei seni, che si accavallano e scorrono e passano, sempre le stesse, forse è questo che ha scoperto quel sorriso.

Quando navigavo sul Baltico, mi hanno raccontato di un ammiraglio svedese che, andato in pensione, si era portato la polena della sua nave nel suo giardino, e di un altro, non so dove, che era stato per tanti anni guardiano di un faro in mezzo al mare e una volta aveva trovato una polena portata dalle onde al suo isolotto e quello era stato l'unico avvenimento della sua vita; e se l'era tenuta con sé e aveva detto che, quando sarebbe morto, dovevano metterla sulla sua tomba al paese, ma il prete non aveva voluto, perché aveva il petto nudo e un'aria sfrontata.

Certo, vado ancora col Conde, ma un po' meno, a lui gli è morta anche l'ultima moglie ma non si è certo scombussolato, contento e vanitoso com'è di tutta quella gente che viene sempre più a trovarlo, a fargli domande e fotografie. Ho anche una barca, pesco un po' per conto mio, ogni tanto mi verrebbe voglia di attaccare la polena sulla barca e mettermi in alto mare per chissà dove, poi rido, si vede che comincio a diventare vecchio e a perdere colpi, qualche volta non so più se sono sul Douro, sul Tâmega o in mare, l'acqua si assomiglia dappertutto e anche questa pioggia che viene giù potrebbe cadere qui come da qualsiasi altra parte e a me non dispiace che le cose diventino sempre più eguali, tutto è bene quel che finisce bene o anche solo che finisce.

Nugae

1. Carl Schmitt
Dialogo sul potere
2. Maurice Blanchot
L'ultimo a parlare
3. Theodore Dreiser
Libero
4. Bernardino Zapponi
Trasformazioni
5. Jean Starobinski
L'ordine del giorno
6. Alda Merini
Il tormento delle figure
7. Sion Segre Amar
Amico mio e non della ventura
8. Hans Jonas
Il diritto di morire
9. Jurij Kazakov
Autunno nei boschi di querce
10. Guillaume Apollinaire
Saldi
11. Jean Paul
L'arte di prender sonno
12. Ardengo Soffici
La giostra dei sensi. Diario napoletano
13. Pëtr Jakovlevič Čaadaev
Prima lettera filosofica. Apologia di un pazzo

14. Jacques-Gilbert Ymbert
L'arte di far debiti

15. Hans-Georg Gadamer
Il dramma di Zarathustra

16. Umberto Eco
Stelle & Stellette

17. Leo Löwenthal
I roghi dei libri

18. Tahar Ben Jelloun
Dalle ceneri

19. Vasilij Grossman
Fosforo

20. Jules Renard
Il piacere di dirsi addio

21. Sherwood Anderson
Le voci del torrente

22. Jean Paulhan
Lenti progressi in amore

23. Jean Genet
L'atelier di Alberto Giacometti

24. Honoré de Balzac
Un episodio ai tempi del Terrore

25. Bruno Munari
Verbale scritto

26. Louis Ferdinand Céline
Scandalo negli abissi

27. Fechner Mallarmé Valéry Otto
Filosofia della danza

28. Chaim Nachman Bialik
Nella città del massacro

29. Ljudmila Petruševskaja
Dopo le favole

30. *Teatro sintetico futurista*

31. Steven Weinberg
Alla ricerca delle leggi ultime della fisica

32. Alfred Kolleritsch
Dell'infanzia

33. Morley Callaghan
Aprile è arrivato

34. Franz Kafka
Il fochista

35. Umberto Saba
Scorciatoie e raccontini

36. Izrail' Metter
Per non dimenticare

37. Robert Louis Stevenson
Il padiglione sulle dune

38. Antonio Steffenoni
Sono qui per dirti addio

39. Elizabeth Smart
L'assunzione di farabutti e mascalzoni

40. Alda Merini
Delirio amoroso

41. Michail Kuraev
Ronda di notte

Finito di stampare
nel mese di settembre 1993
per i tipi de "il melangolo"
dalla Fantonigrafica - Elemond Editori Associati